P'TiT L

a un bobo

Orianne Lallemand
Éléonore Thuillier

AUZOU éveil

Pour son anniversaire, P'tit Loup a eu une trottinette.
Et c'est drôlement chouette !
« Regarde, Maman ! Je fais des sauts
comme un champion. »
P'tit Loup s'élance, mais... oups !
Il dérape sur les gravillons.

P'tit Loup est tombé devant la maison.
Heureusement, Maman est là.
« Aïe ! Ouille ! J'ai mal au genou ! sanglote P'tit Loup.
— Laisse-moi voir, fait Maman.
Oh oui, tu as un beau bobo... »

Maman aide P'tit Loup à se mettre debout.
Très doucement, elle déplie son genou.
« Regarde, Maman, je saigne, pleurniche P'tit Loup.
— Ne t'inquiète pas, dit Maman.
Nous allons soigner ce bobo.
— Non, je ne veux pas ! crie P'tit Loup.
Ça va faire trop mal. »
Et il se remet à pleurer.

Maman a une idée.

« Oh, regarde, P'tit Loup ! Doudou aussi a un bobo.

Si tu veux, tu peux le soigner

pendant que je regarde ton genou ?

— D'accord », renifle P'tit Loup.

À la maison, Maman nettoie
le genou de P'tit Loup
avec une compresse et de l'eau.
P'tit Loup fait pareil avec Doudou.

Tous les deux sont très courageux.

« À présent, il faut tuer les microbes,
explique Maman. On va mettre du désinfectant.
— Non, ça va piquer ! hurle P'tit Loup, affolé.
— Pas du tout, le rassure Maman.
On commence par Doudou.
Vas-y, appuie sur le flacon. »

Pshiiit !

« Tu vois, Doudou n'a pas eu mal, dit Maman.
À ton tour, maintenant ! »
P'tit Loup ferme les yeux.
Pshiiit ! C'est terminé.
P'tit Loup est soulagé : ça n'a même pas piqué !

Maman met un gros pansement sur le genou
de P'tit Loup, et un tout petit sur Doudou.
« Je peux retourner m'entraîner maintenant ?
demande P'tit Loup.
— Encore un instant... » dit Maman.
Et elle va chercher... un feutre.

Maman écrit le chiffre 1
sur le pansement de P'tit Loup.
« Qu'est-ce que c'est ? s'étonne P'tit Loup.
— C'est ton numéro de champion,
mais attention aux gravillons !
— Promis, Maman ! crie P'tit Loup.
En piste, Doudou ! On nous attend ! »

Toutes les histoires tendres et malicieuses de P'TiT LOUP

Direction générale : Gauthier Auzou – Responsable éditoriale : Agathe Lème-Michau – Éditrice : Marjorie Demaria – Conception graphique : Alice Nominé
Mise en pages : Mylène Gache – Responsable fabrication : Jean-Christophe Collett – Fabrication : Bertrand Podetti – Correction : Lise Cornacchia